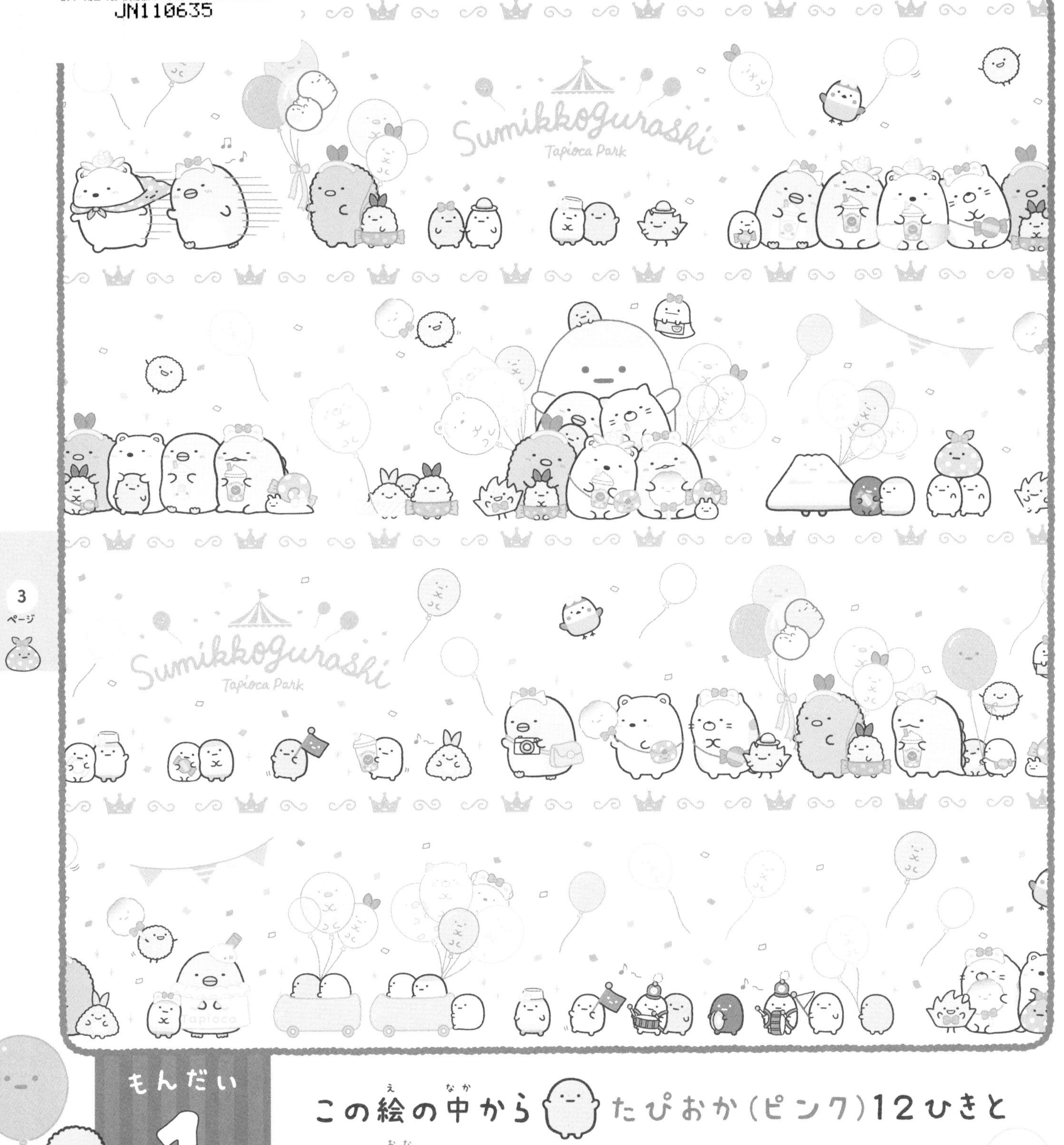

もんだい
1

この絵の中から たぴおか（ピンク）12ひきと
同じカチューシャ7つをさがしてね。

この中に も1コあるよ。

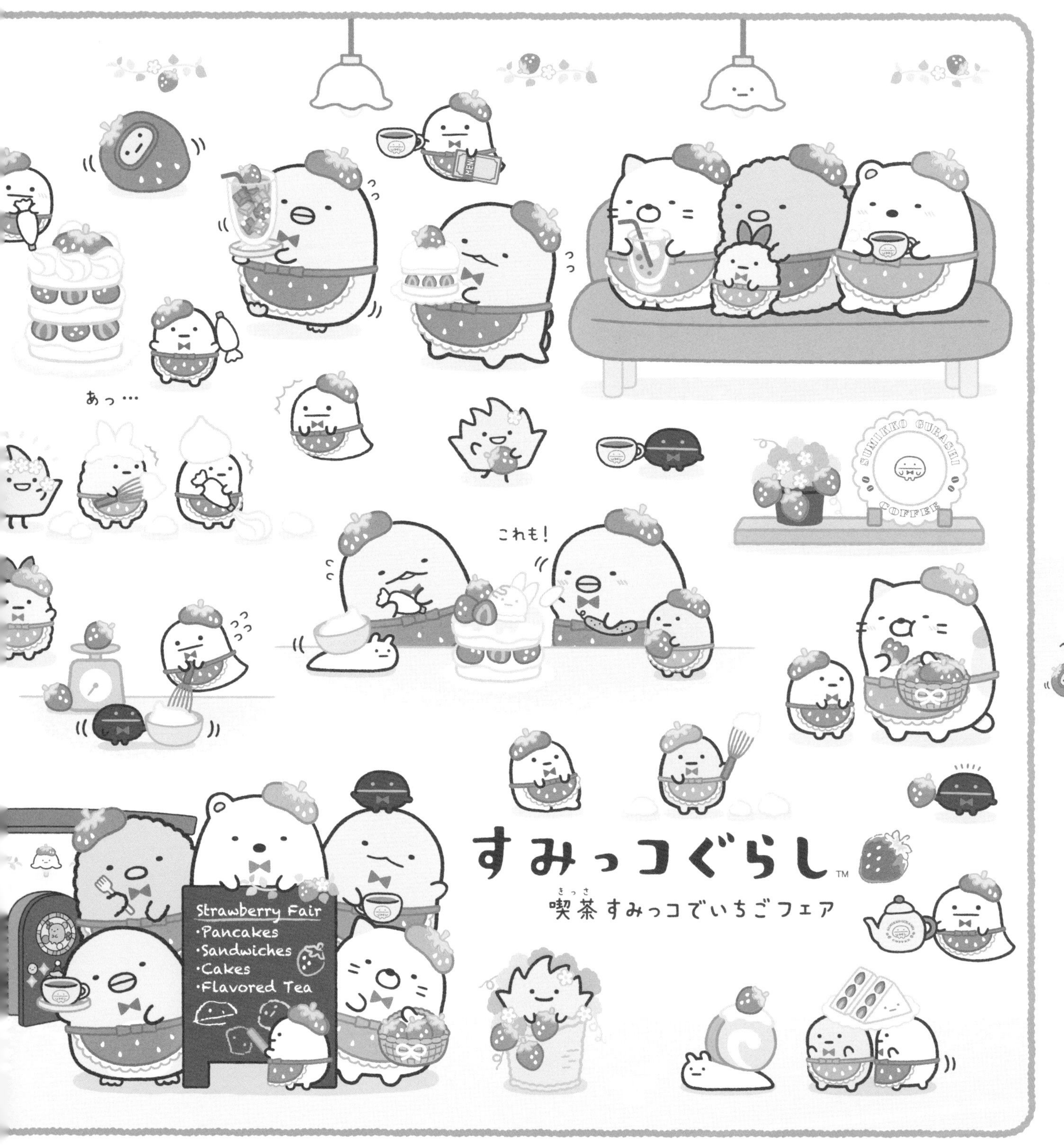

同じ帽子11コをさがしてね。

この中に も1コあるよ。

もんだい
2

この絵の中から  カップ 10コと、

いのしっぽ10ぴきと、 マヨネーズ12コをさがしてね。

もんだい 3

この絵の中から このポーズのえびふ

この中に も1ぴきいるよ。

Sumikko gurashi
もんだい
4
この絵の中から さかな8ぴきと、
ざっそう8ぴきをさがしてね。
この中に も1ぴきいるよ。
8
ページ

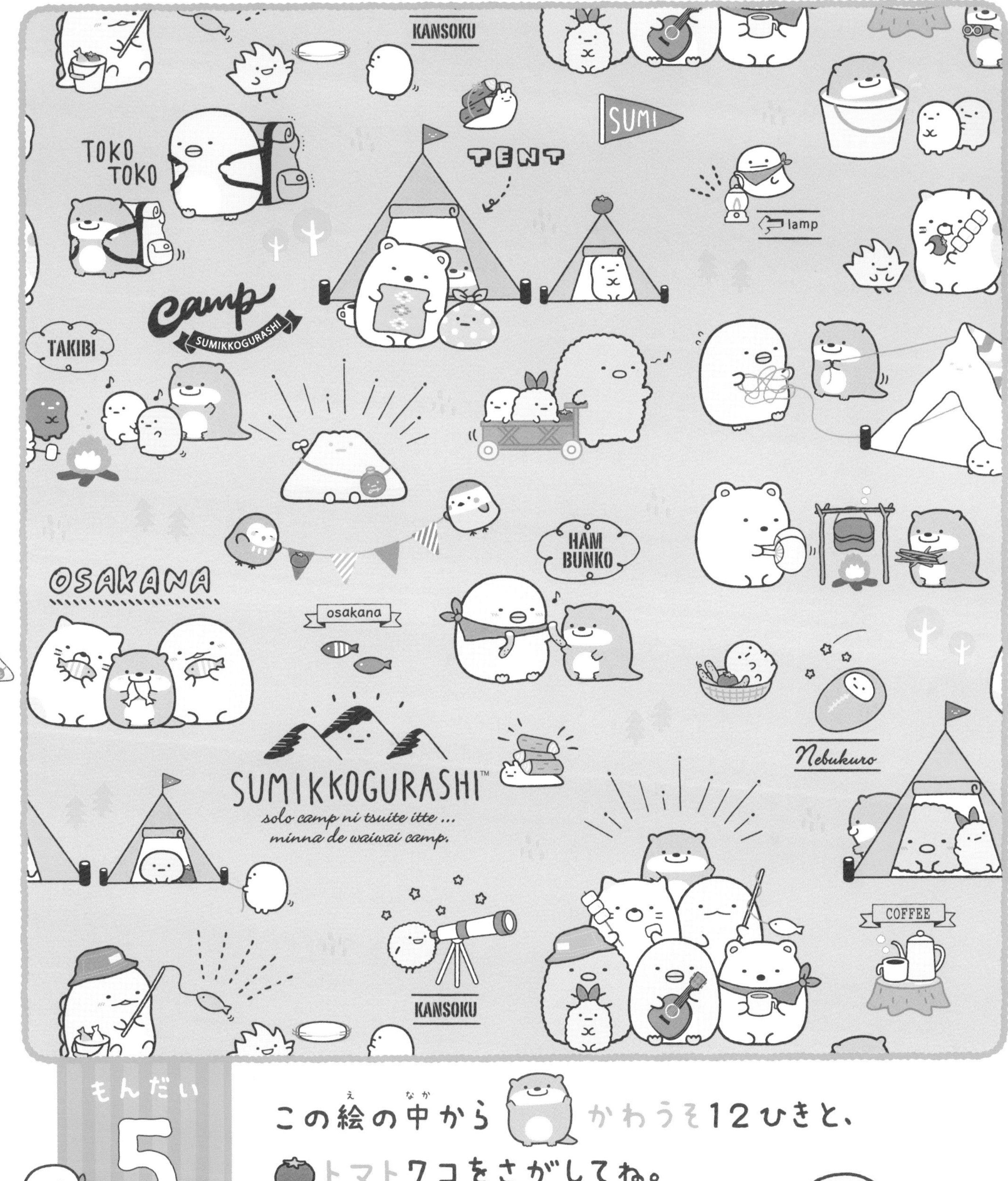

もんだい
5

この絵(え)の中(なか)から かわうそ12ひきと、
トマト7コをさがしてね。

この中(なか)に も1コあるよ。

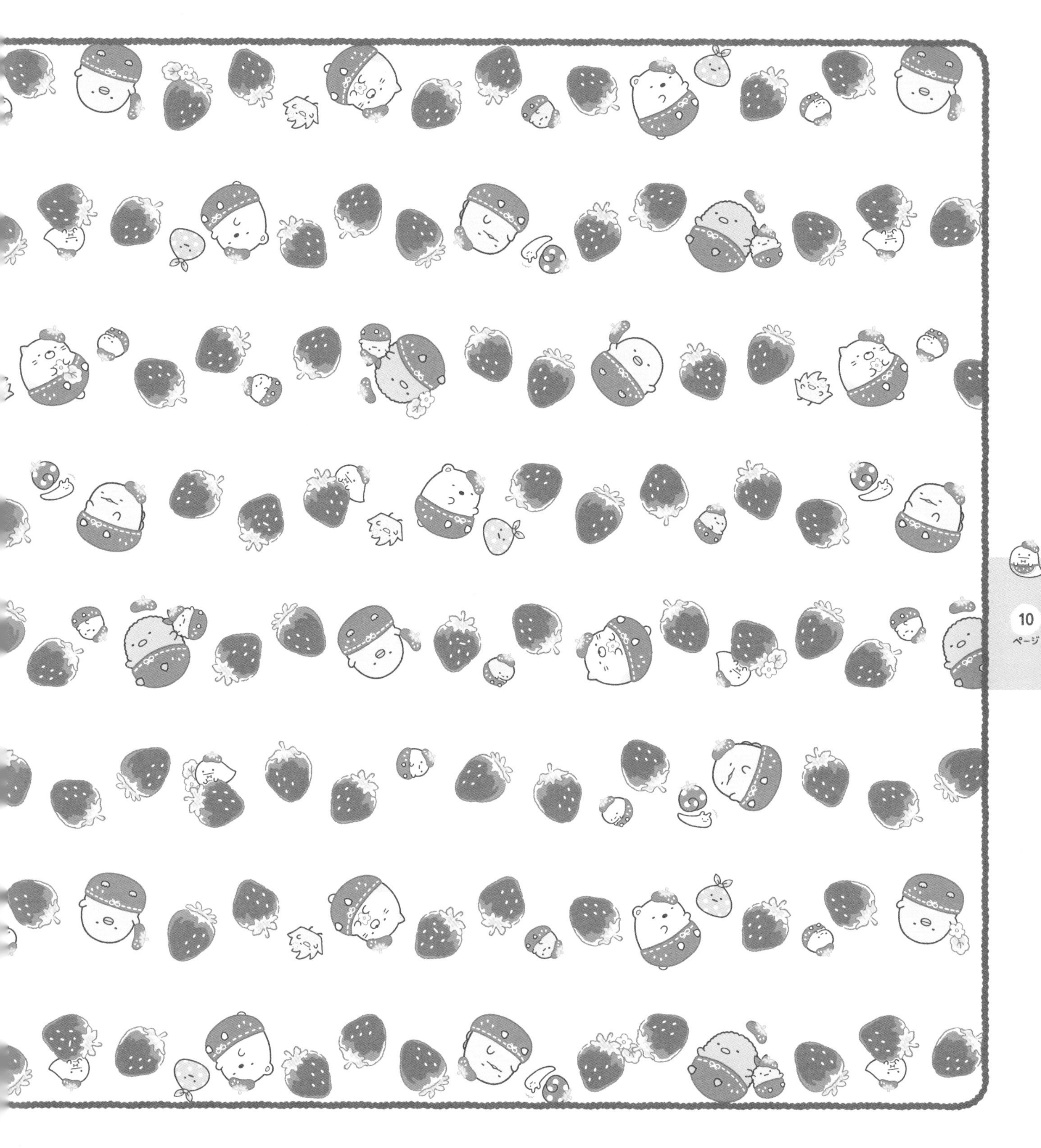

10
ページ

に、同じ花とはっぱ12コをさがしてね。

11
ページ

もんだい
6

この絵の中から 顔のあるいちご13コ

この中に も1つあるよ。

ドーナツ10コをさがしてね。

この中(なか)に も1ぴきいるよ。

13
ページ

もんだい

7

この絵(え)の中(なか)から  おばけ10ぴきと、

もんだい

8

この絵の中から 顔のボタン8コと、
同じ色のリボン8コをさがしてね。

この中に も1つあるよ。

14
ページ

もんだい
9

この絵の中から　同じもようを12コを
さがしてね。

この中に　も1ぴきいるよ。

この中に も1ぴきいるよ。

16
ページ

17
ページ

もんだい

10

この絵の中から たぴおか（レインボー）17ひきと、わたあめ12コをさがしてね。

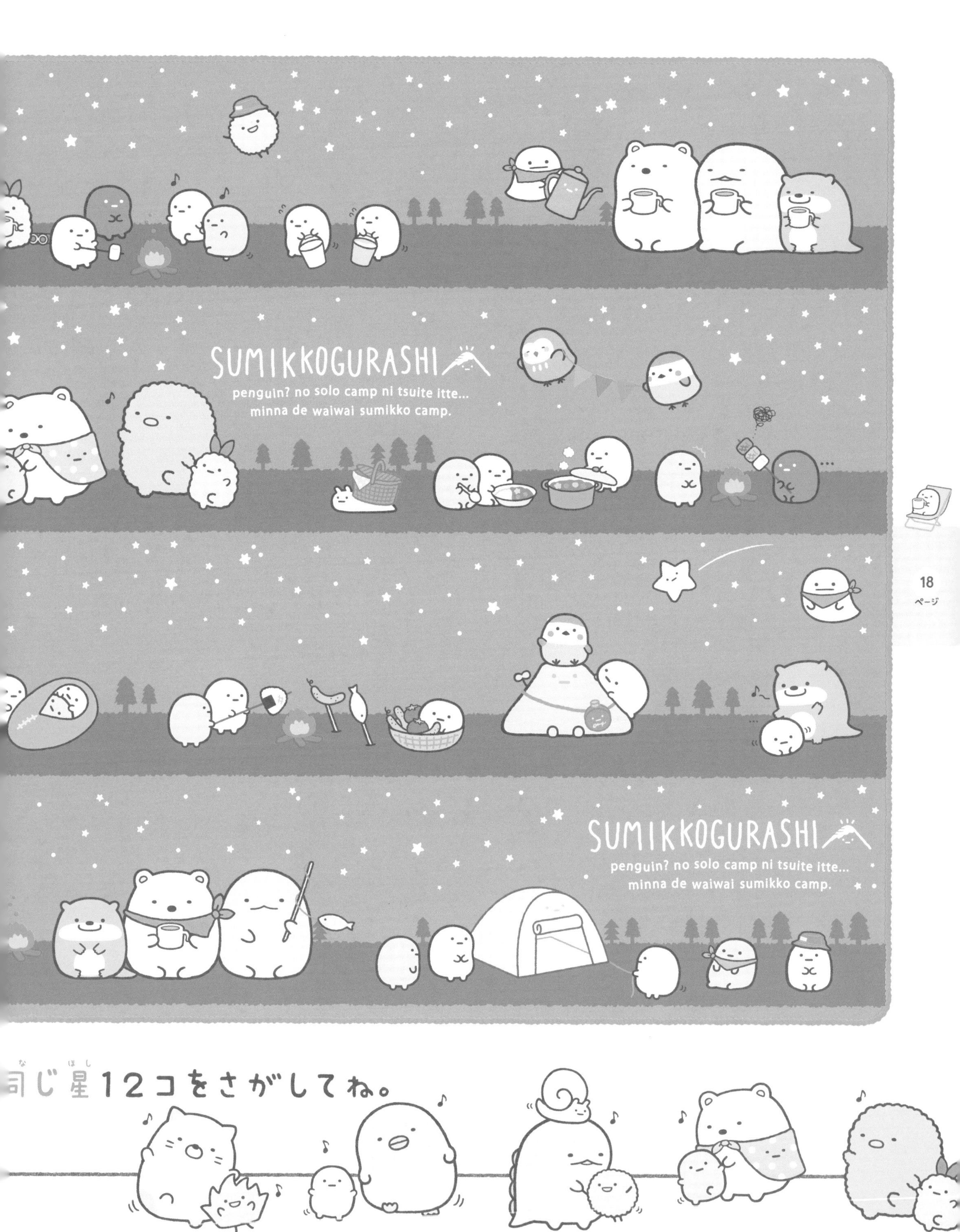

同じ星12コをさがしてね。

SUMIKKOGURASHI™

penguin? no solo camp ni tsuite itte...
minna de waiwai sumikko camp.

SUMIKKOGURASHI

penguin? no solo camp ni tsuite itte...
minna de waiwai sumikko camp.

もんだい 11

この絵の中から 同じ形の木9本と、

この中に も1コあるよ。

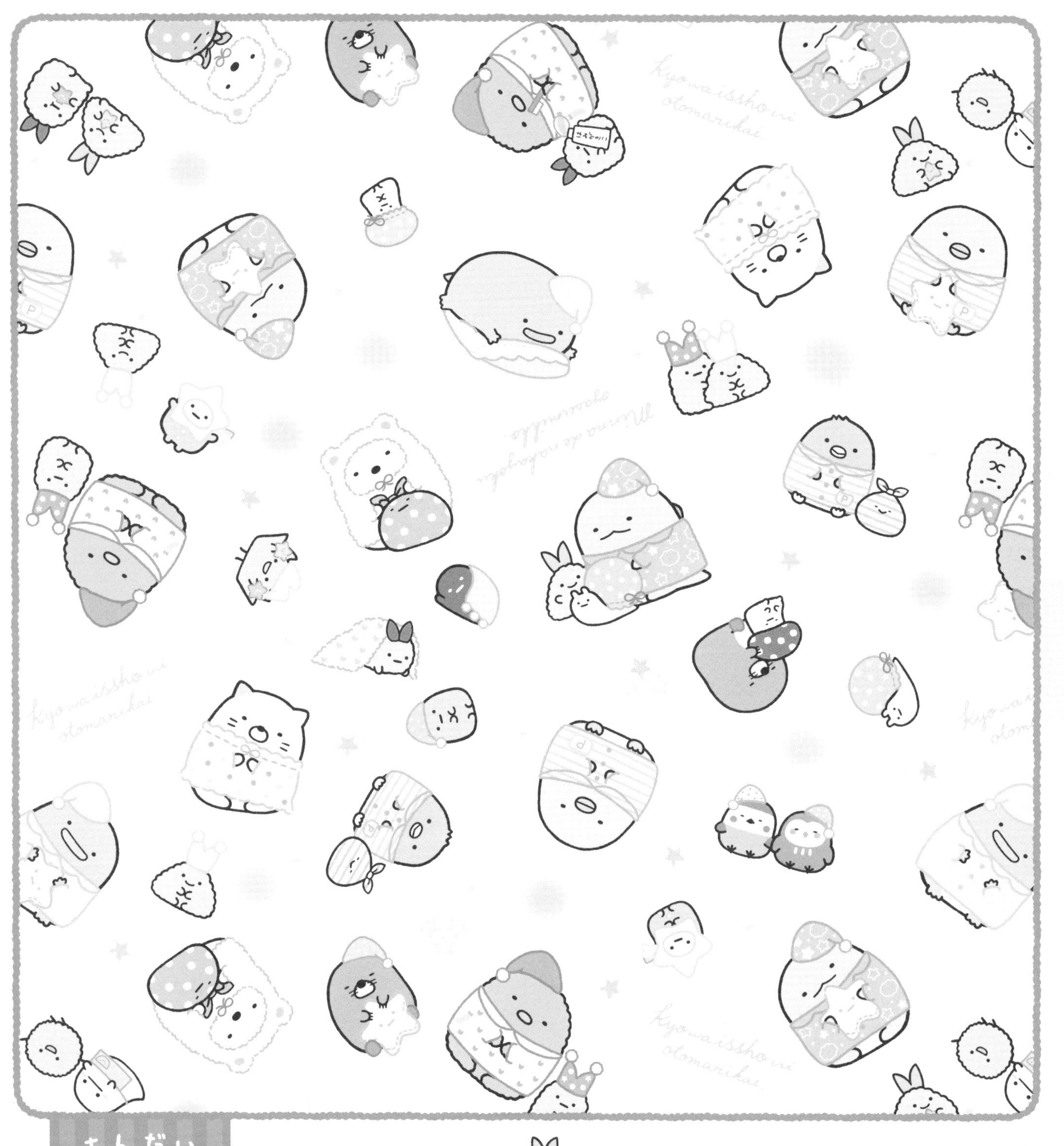

20
ページ

もんだい

12

この絵の中から　あじふらいのしっぽ7ひきと、

同じクッション8コをさがしてね。

この中に　も1つあるよ。

すみっコぐらしをさがせ♪3

こたえ

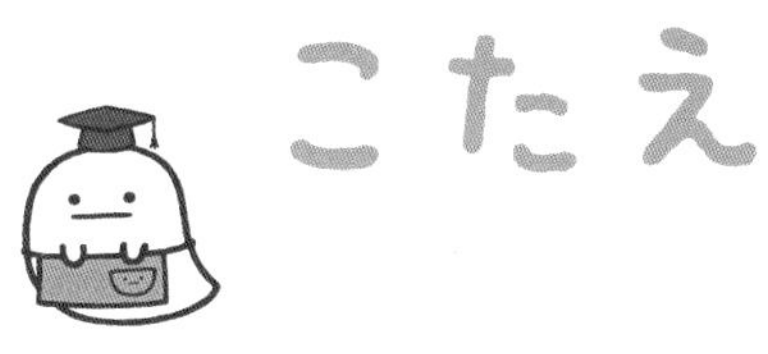

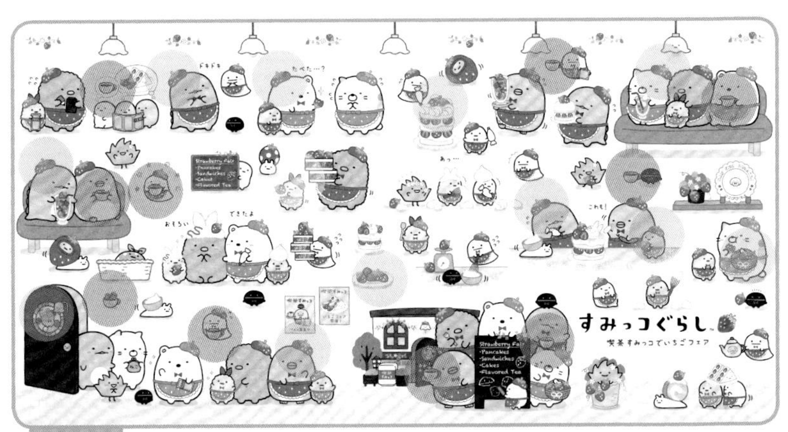

もんだい 2

10 カップ
11 帽子（ぼうし）
1 

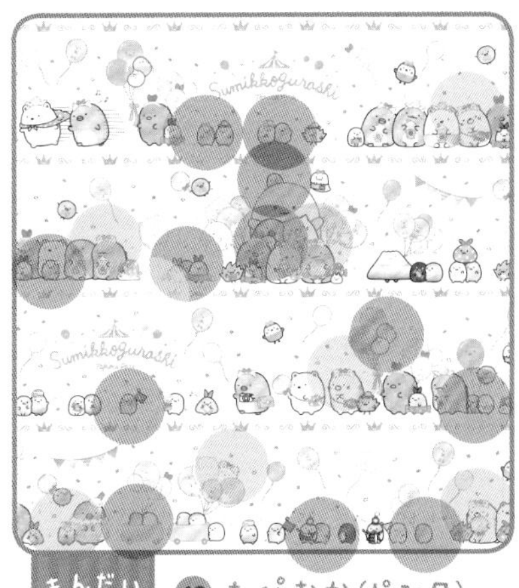

もんだい 1

12 たぴおか（ピンク）
7 同（おな）じカチューシャ
1

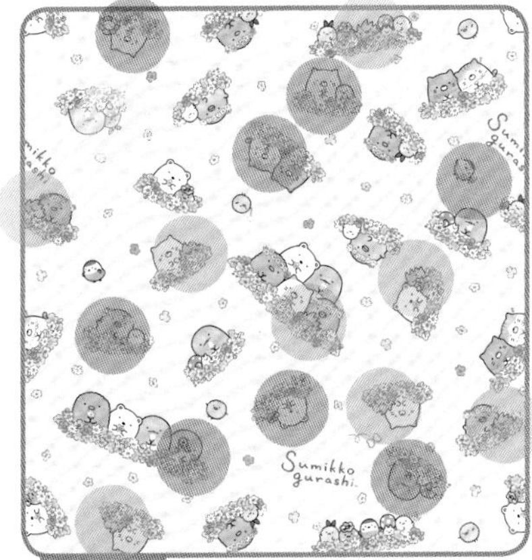

もんだい 4

8 さかな
8 ざっそう
1

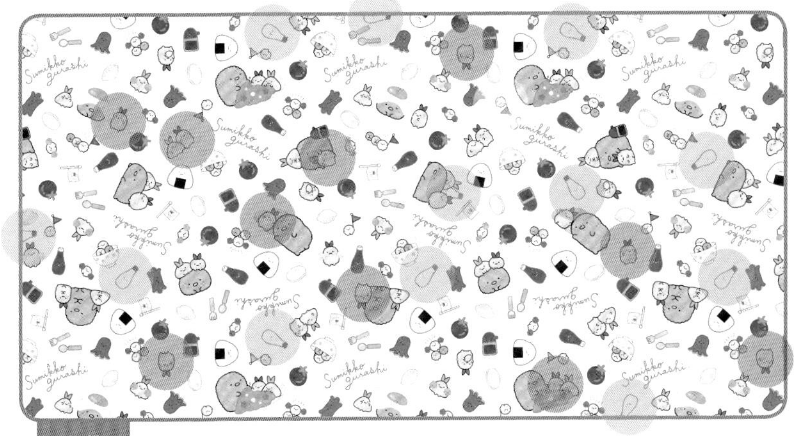

もんだい 3

10 えびふらいのしっぽ
12 マヨネーズ
1

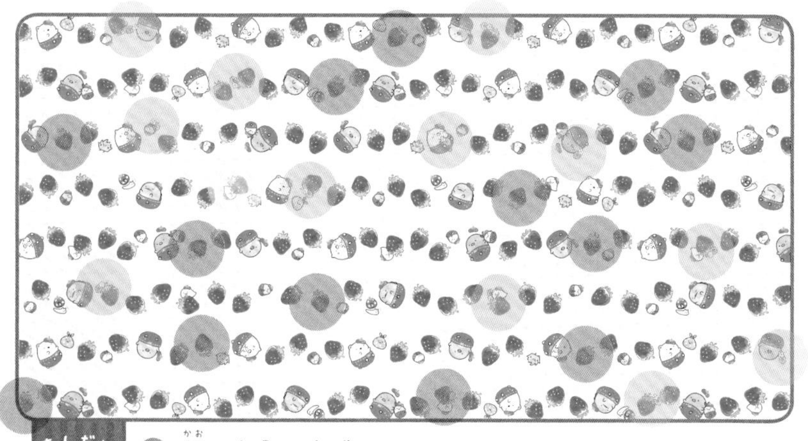

もんだい 6

13 顔のあるいちご

12 同じ花とはっぱ

1

もんだい 5

12 かわうそ

7 トマト

1

もんだい 8

8 顔のボタン

8 同じ色のリボン

1

もんだい 7

10 おばけ

10 ドーナツ

1

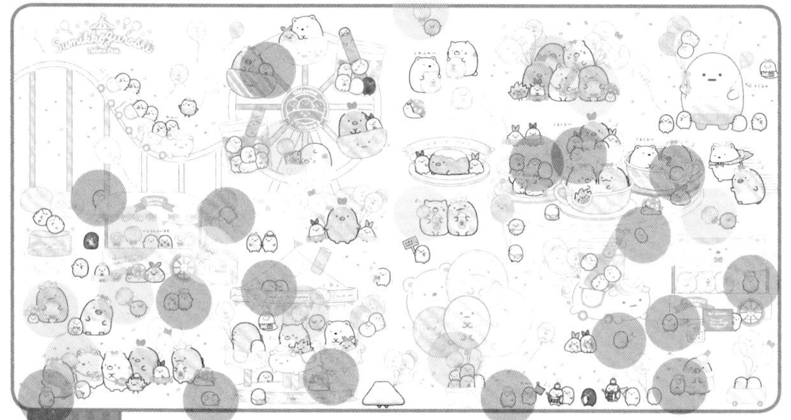

もんだい 10

17 たぴおか(レインボー)

12 わたあめ

1

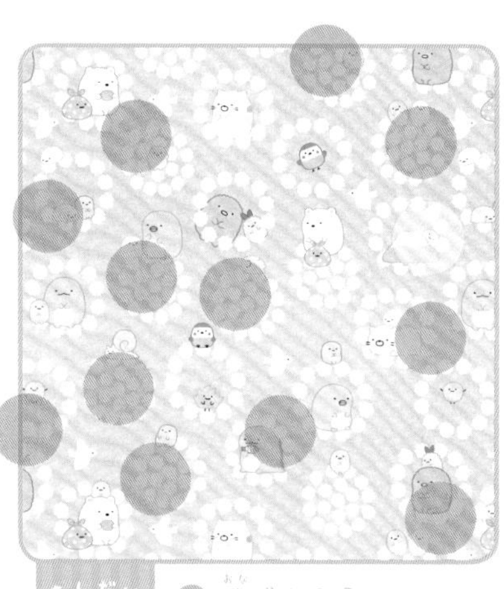

もんだい 9

12 同じもよう

1